Dieses Buch gehört

....

....

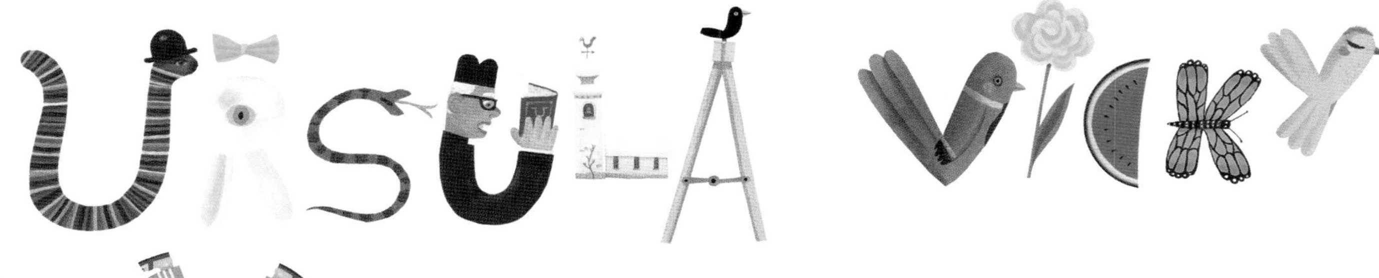

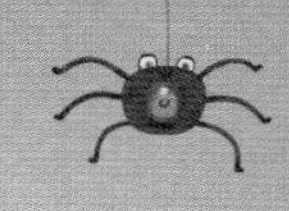

Tom Schamp

DAS TOLLSTE ABC DER WELT

Aus dem Französischen
von Harry Rowohlt

Carl Hanser Verlag

Anita rast per Anhalter
zu Alis achtem Geburtstag nach Paris,

(wartet aber mit ihrer Attacke auf Apfelsinenkuchen und
Ananasbowle nicht ab, bis die anderen antanzen).

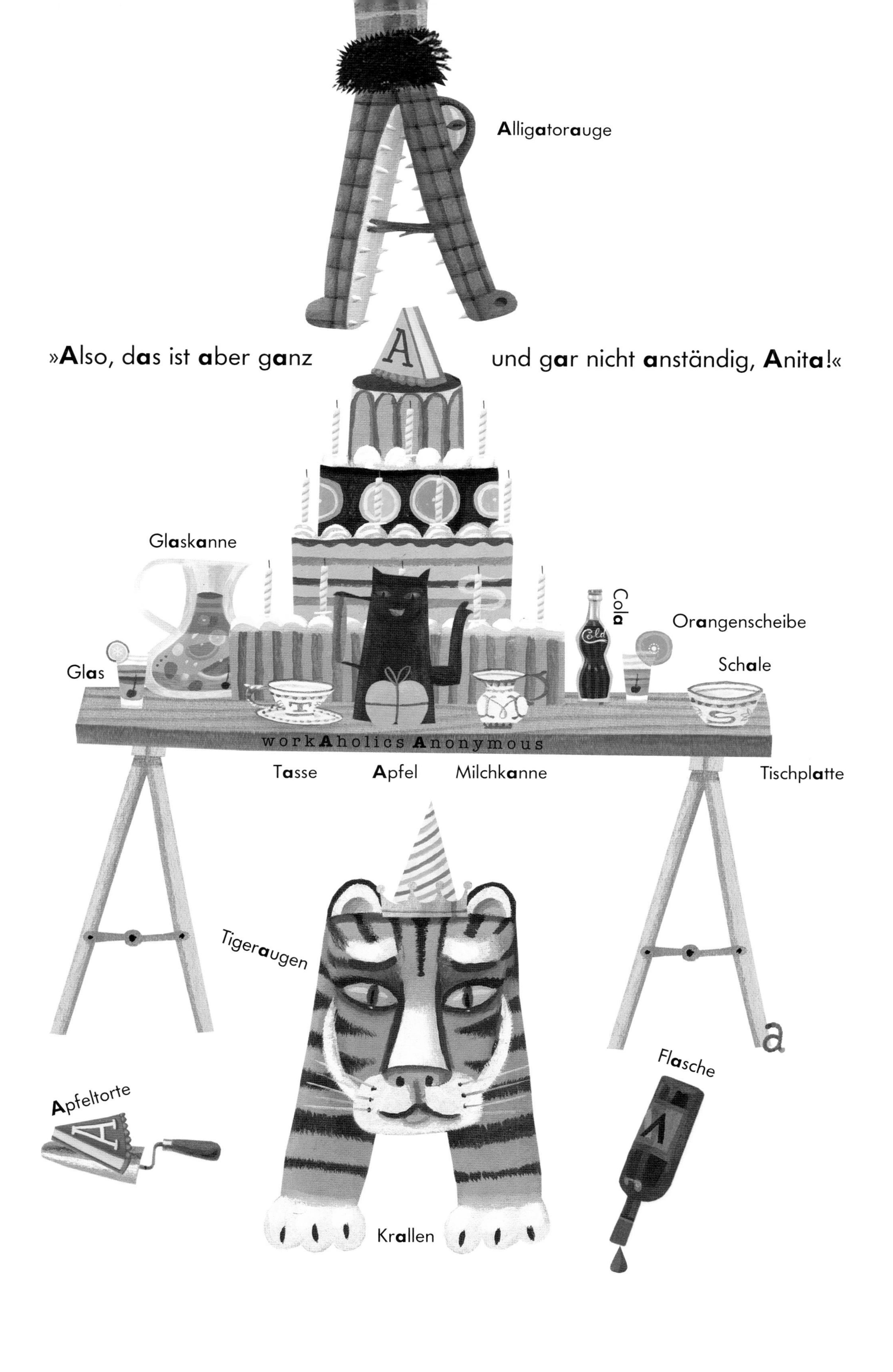

»Also, das ist aber ganz und gar nicht anständig, Anita!«

Eine **B**ig **B**and **b**raucht einen **b**annigen **B**atzen **b**izarres **B**rim**b**orium, **b**evor sie **b**räsig **b**rutal los**b**ratzen kann.

Benny **B**op **b**läst für **B**ier

Bo**bb**y **B**land **b**rüllt nicht; er ist **b**eredt.

Big Bank
Best Buy
Bearly
Biscuits
Bart & Bernard Boulanger
B-twin Bros
BRILL BUILDING
BOUTIQUE
BB
BAZAR
asil X
Big Burger
Broken Boulevard
TOURBUS
BOX OFFICE
Av des Boulots Berken laan
Busbahnhof
B-organ
Bee
Bop
Banane
Beurre BIO COOKIES
terkeks
Bälle
Bär
Kontrabass
APPLE
BIG
BEAT BOX
Box
Schraube
Bauch
Billy Bob, der Bariton, spielt Banjo,
Blasinstrumente und Basketball

CASAGRANDE
10
CC

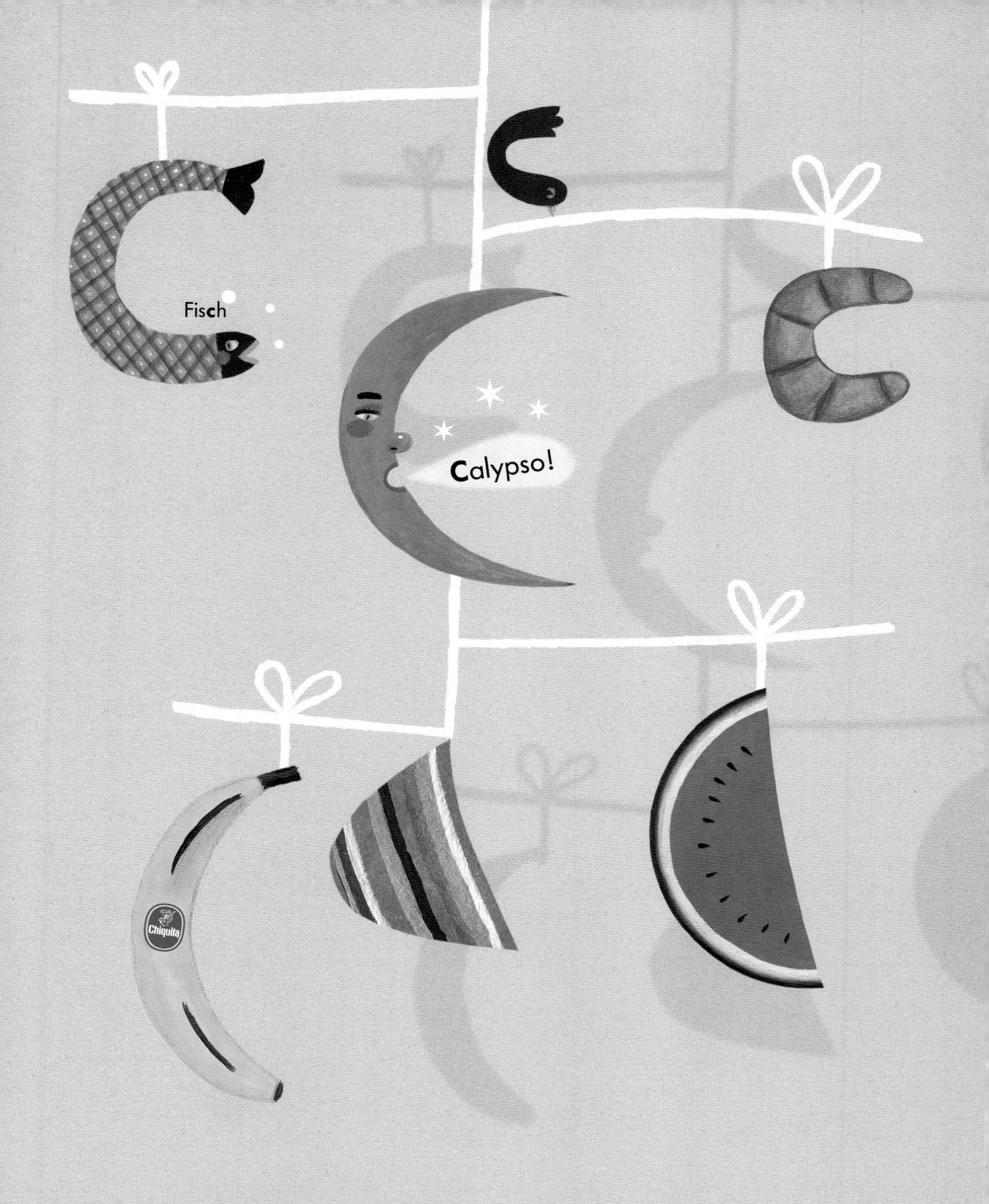

Carlo ers**c**heinen im S**c**hlaf ein **C**roissant
und se**c**hs **c**harmante Sa**c**hen, die keinen Kra**c**h
mehr ma**c**hen …

… un**d** am folgen**d**en Morgen,
dreimal **d**ürft ihr raten,

döst er in **d**en **d**uftigen **D**aunen
von **D**onna **D**oris, **d**er **D**iva!

Doll!

Es scheint, als entfernte Europa sich
im Sommer extrem.

Setz dich richtig rum, Eva, please!

Tanne Doppeldecker Roller Eisbären Schneckenexpress

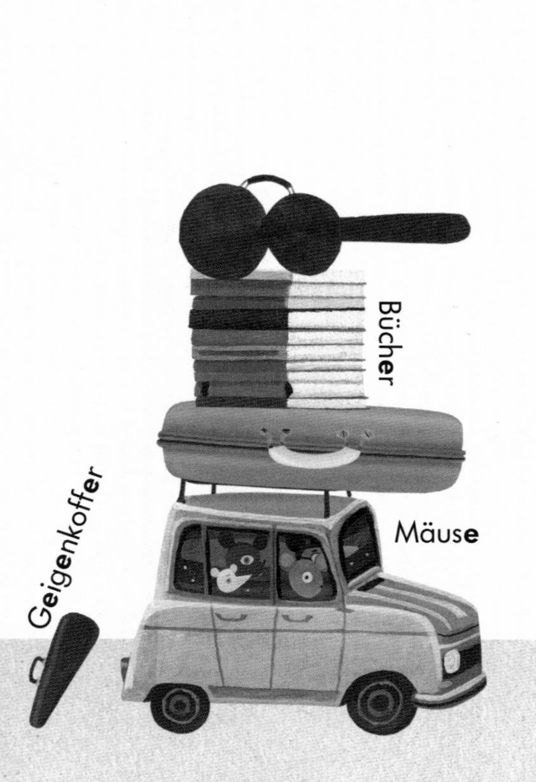

Die von hier fahren ins Ausland,

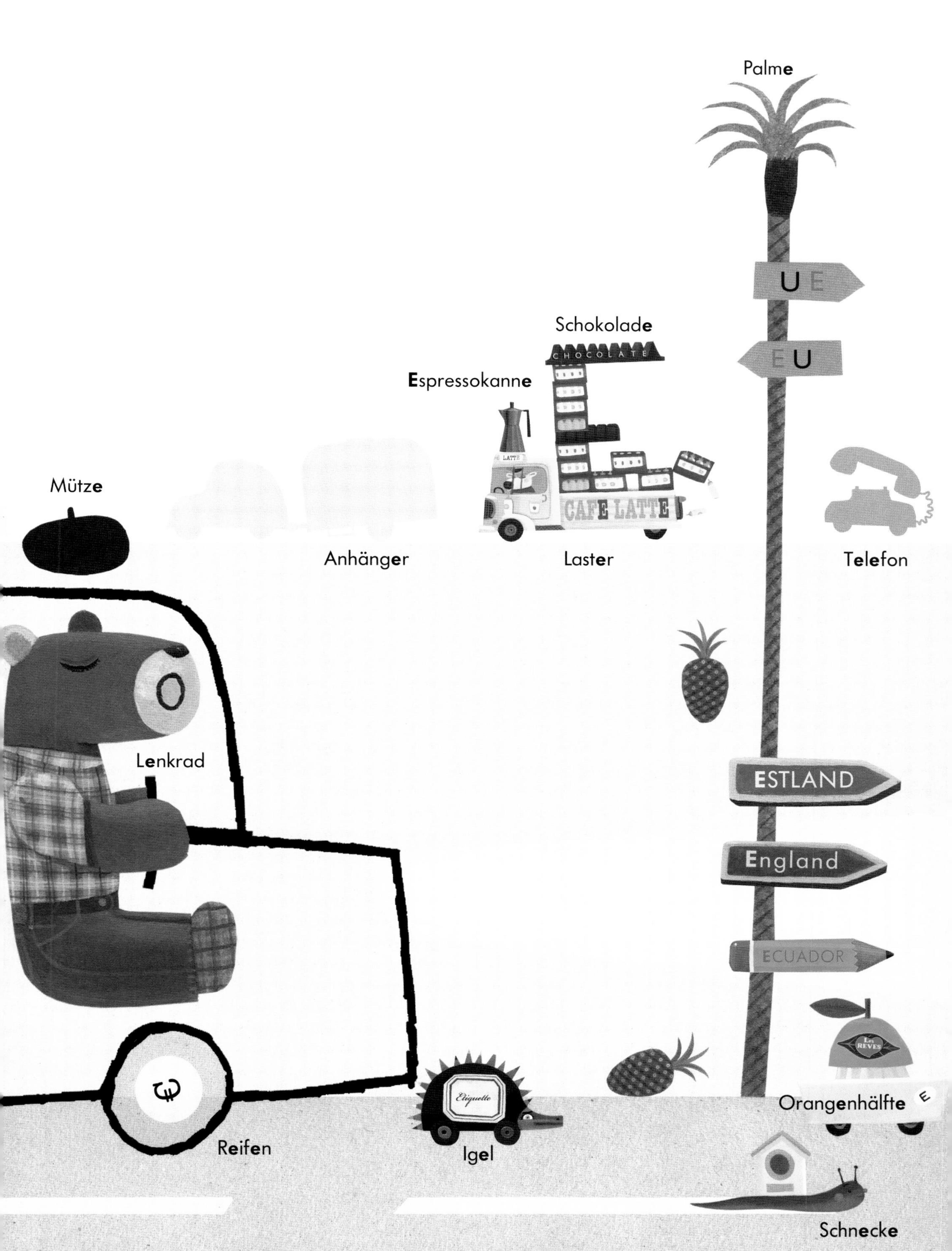

und di**e** aus d**e**m Ausland komm**e**n hi**e**rh**e**r.

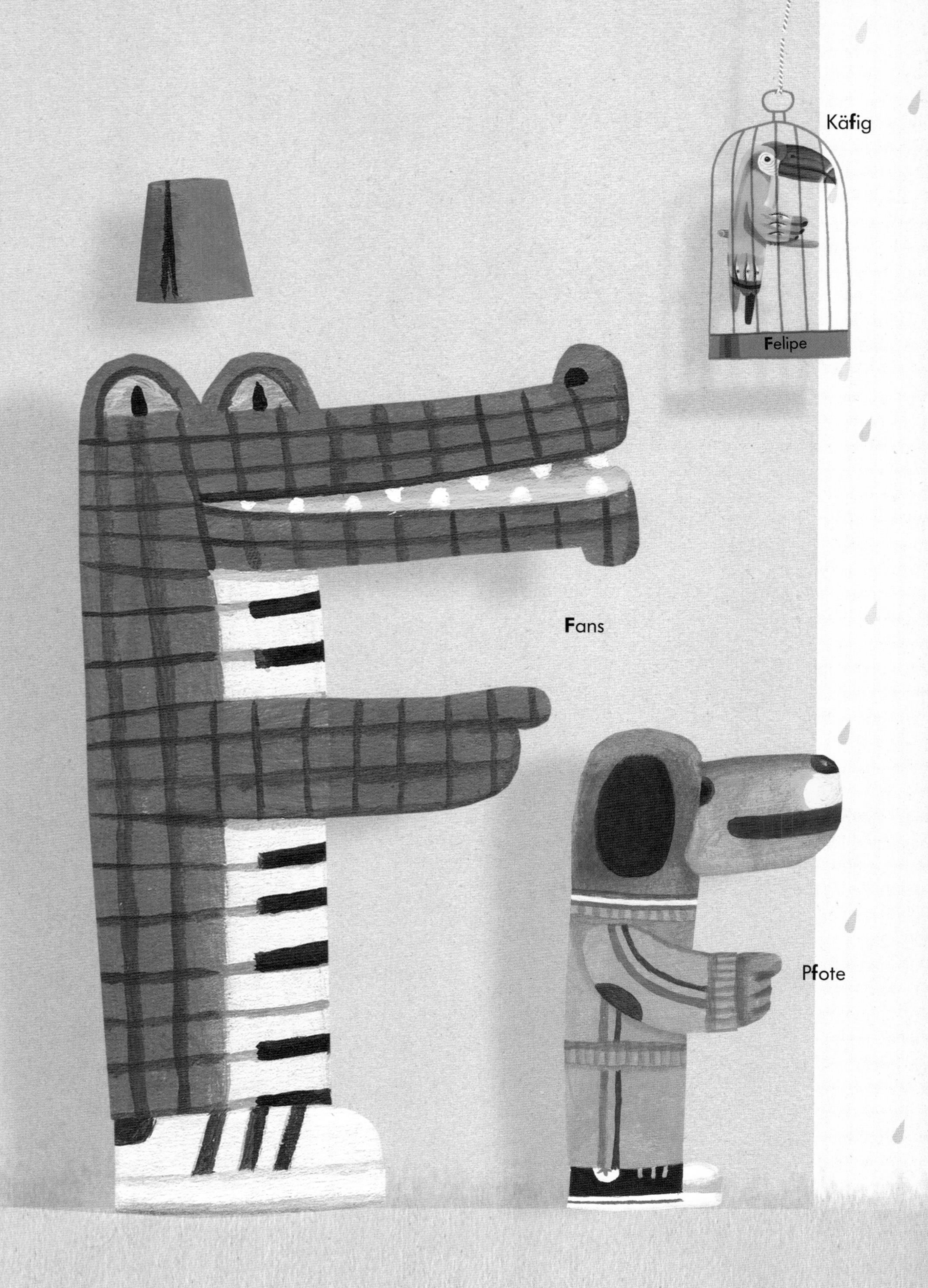

Fela**f**el, **F**atou und **F**elipe sind **F**ans der **fl**iegenden

Fanny, wenn sie ihre **f**antastische **F**lugschau vor**f**ührt.

Geor**g**, der **G**i**g**ant,
ist der **g**rößte der drei **g**efräßi**g**en
Klein-**G**orillas beziehun**g**sweise
Oran**g**-Utans beziehun**g**sweise Ä**g**ypter.

Groß

Me**g**a-**g**roß

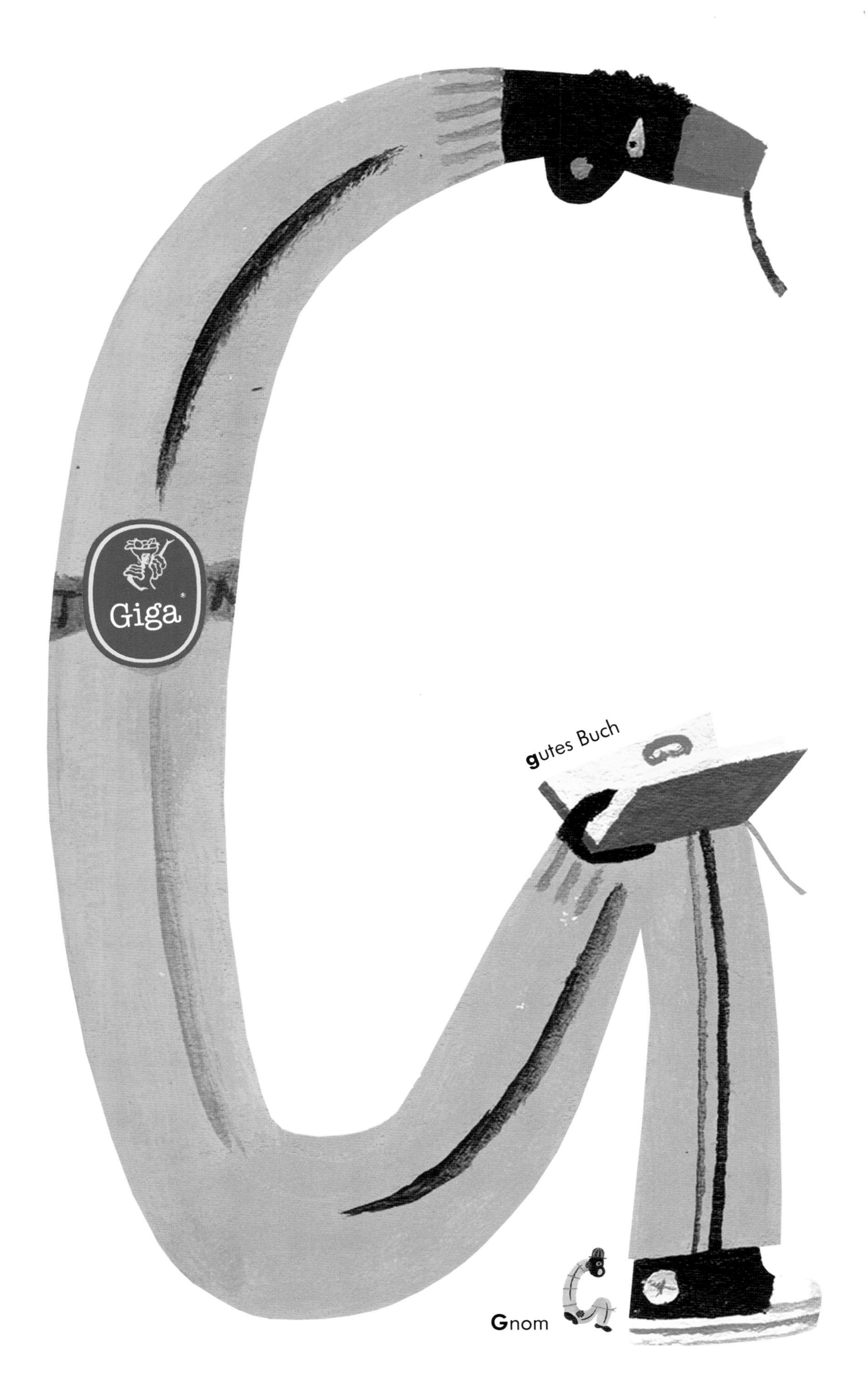

Gigantisch

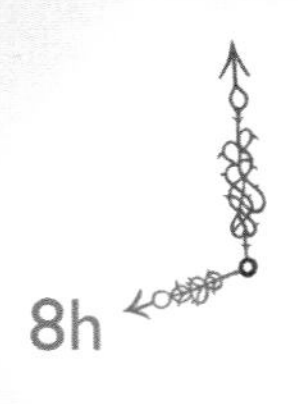

Halt, i**h**r **H**olden,
haltet ein, i**h**r **H**elden!
Ac**h**t U**h**r, Zeit zu **h**erzen und
zu **h**uldigen!

Holiday
in der
Hängematte

Klein-Isaak jongliert liebend gern
auf seiner Insel,

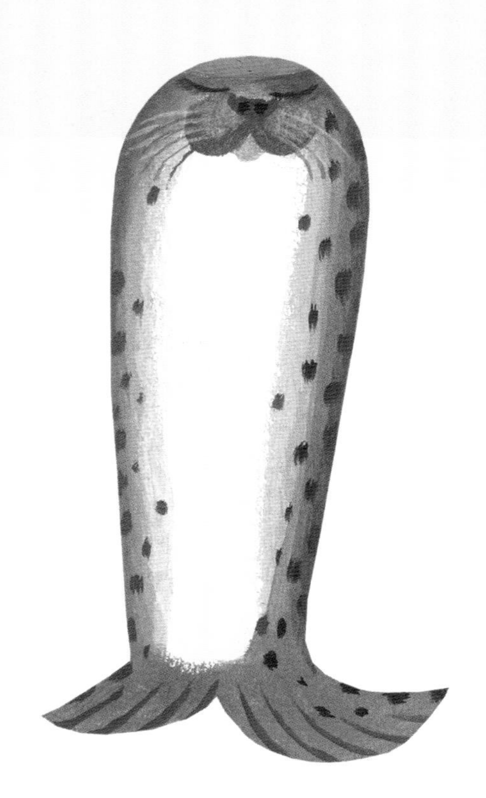

im Sommer

wie **i**m W**i**nter.

We**i**hnachtskugel

Auf **J**ersey **j**uxen **J**ules

und **J**ean-**J**acques

mit der jungen,
lebensbejahenden Jenny.

Kescher
Keine Kappe für den Kahlkopf, Kurt?
Kopf
krant
kürfürster
kalt
Kacke
Knospe

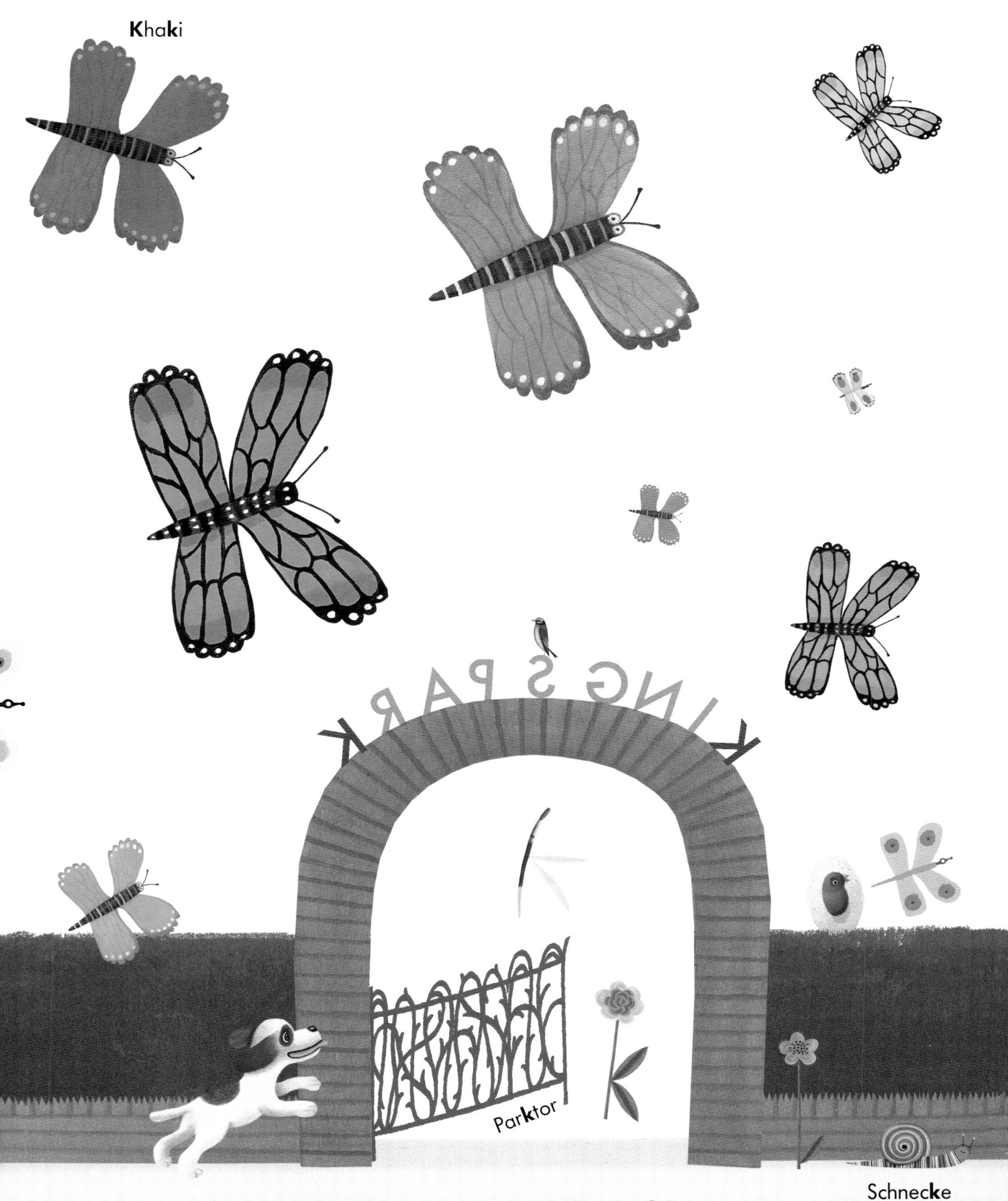

Kurt **k**idnappt **K**ohlweißlinge
und **k**unterbunte Schmetterlinge,
(ohne sie **k**.o. zu schlagen).

Lars und Leo
lieben und loben
das Licht der Lagune,
wenn's dermaleinst
lenzt, logisch!

Eule
Schneekristalle
Lokomotive
Stiefel

Baum
Palmen
MEMENTO MORI!
2 0 1 0
UNDERGROUND
Die Mastodonten murmeln:
»Mjamm mjamm.«
mr
T M
Mamma mia!
Der Tempel mault:
»Mir fehlen zwei Beine!«
MOMENTUM
CIRCUS
MAXIMUS
CIRQUE
Momentan war alles in Rom monumental.
Ein verliebter Apfel
ganz ohne M
Maria und Mario

museum
Ein **m**exikanisches Ka**m**el **m**ü**mm**elt
weniger in sich hinein als ein **M**a**mm**ut.
Eine **M**ega-Bürste …
… und dazu die **M**axi-Zahn-
pasta (**m**it **M**inzgesch**m**ack)
Ein **M**ega-Kleber.
Möge **m**an nie die **M**aterialien verwechseln!
Wur**m**
Mini-
burger
Ham
Burger
Mmmm,
Maxi-Po**mm**es!
RISTO
Mia**m**!
FORUM ROMANUM
Das **M**odehaus von **M**odest,
de**m** **M**odisten
MODE
Miezekatze und **M**enschenaffe,
mittel**m**äßig gezäh**m**t.
THE METER
SAND
WICH
MAN
Merci
Musik,
Maestro!
mögen einander **m**axi**m**al.

Nick hat **n**ull Ah**n**u**n**g,
wie er **N**i**n**a helfe**n** ka**nn**.

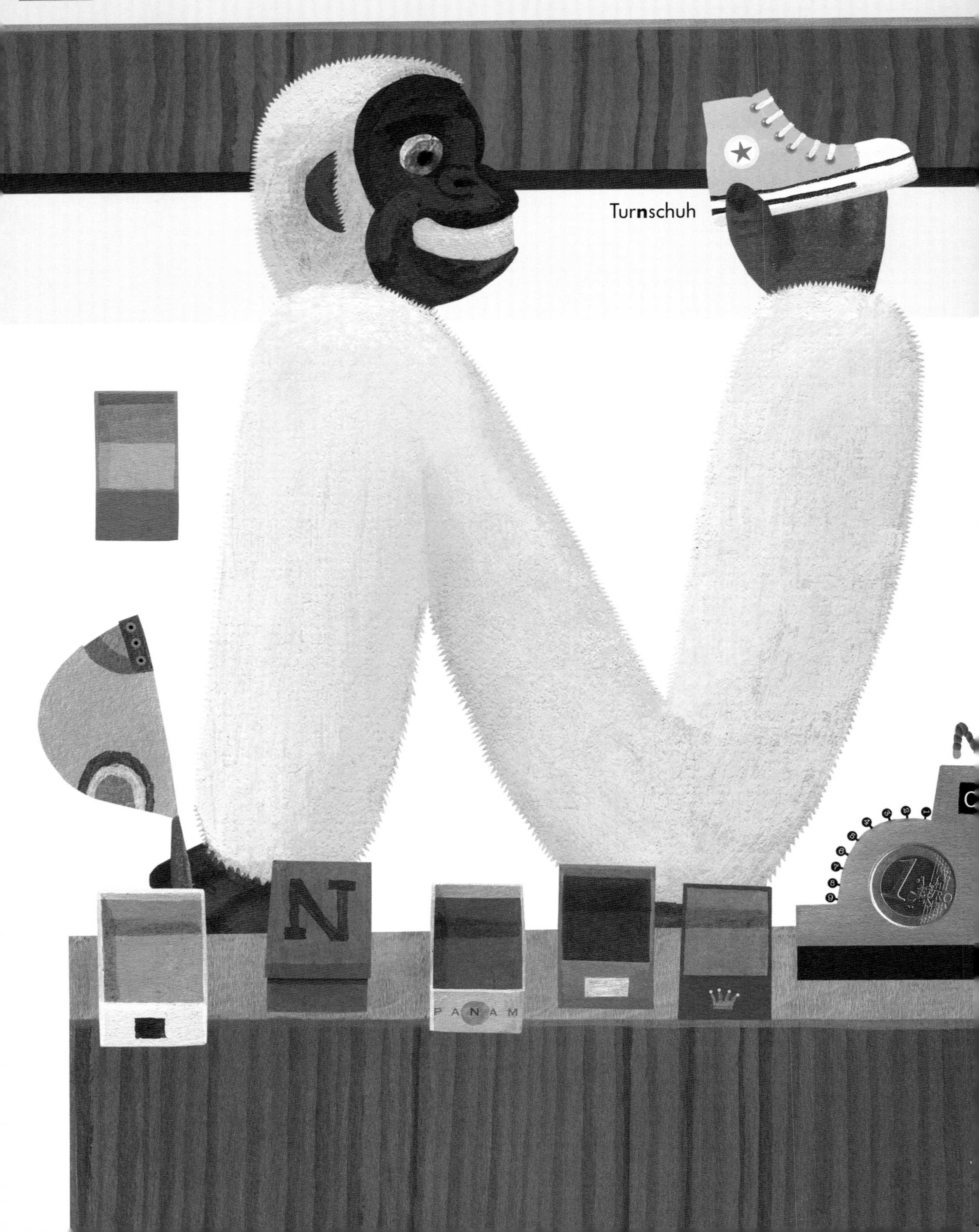

Neu**n** Paar, **n**agel**n**eu rei**n**gekomme**n**,
u**n**d **n**aturgemäß **n**ichts dabei!

OOoh!

Oskar fehlt noch Tollkühnheit für einen ordentlichen Sprung.

PUB
Aber hallooo!
Oje!
Wir fordern:
»Opfermut!«
Und ob!
Okay!
Waterloo

Pa**p**a hat ge**p**u**p**st.

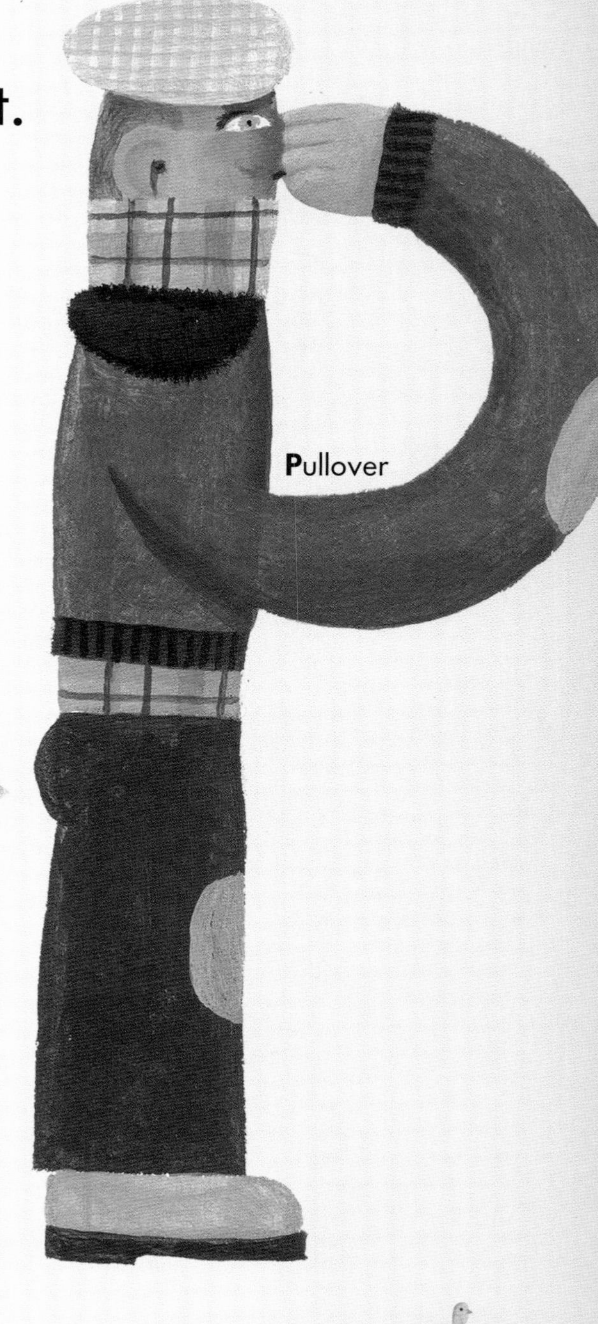

Pa**pp**erla**p**a**pp**!
Panther, **P**umas und **P**andas
pu**p**sen **p**eriodisch noch
prasselnder als **P**a**p**a …

… und sogar **Prä****p**ubertierende.

Kappe
Puma
Pink Panther
Leopard
Panda
p

Wenn **Q**uentin seine **Q**uote abschläft, macht **Q**uasimod

inen **Q**uatsch, sondern **q**uetscht sich heimlich davon.

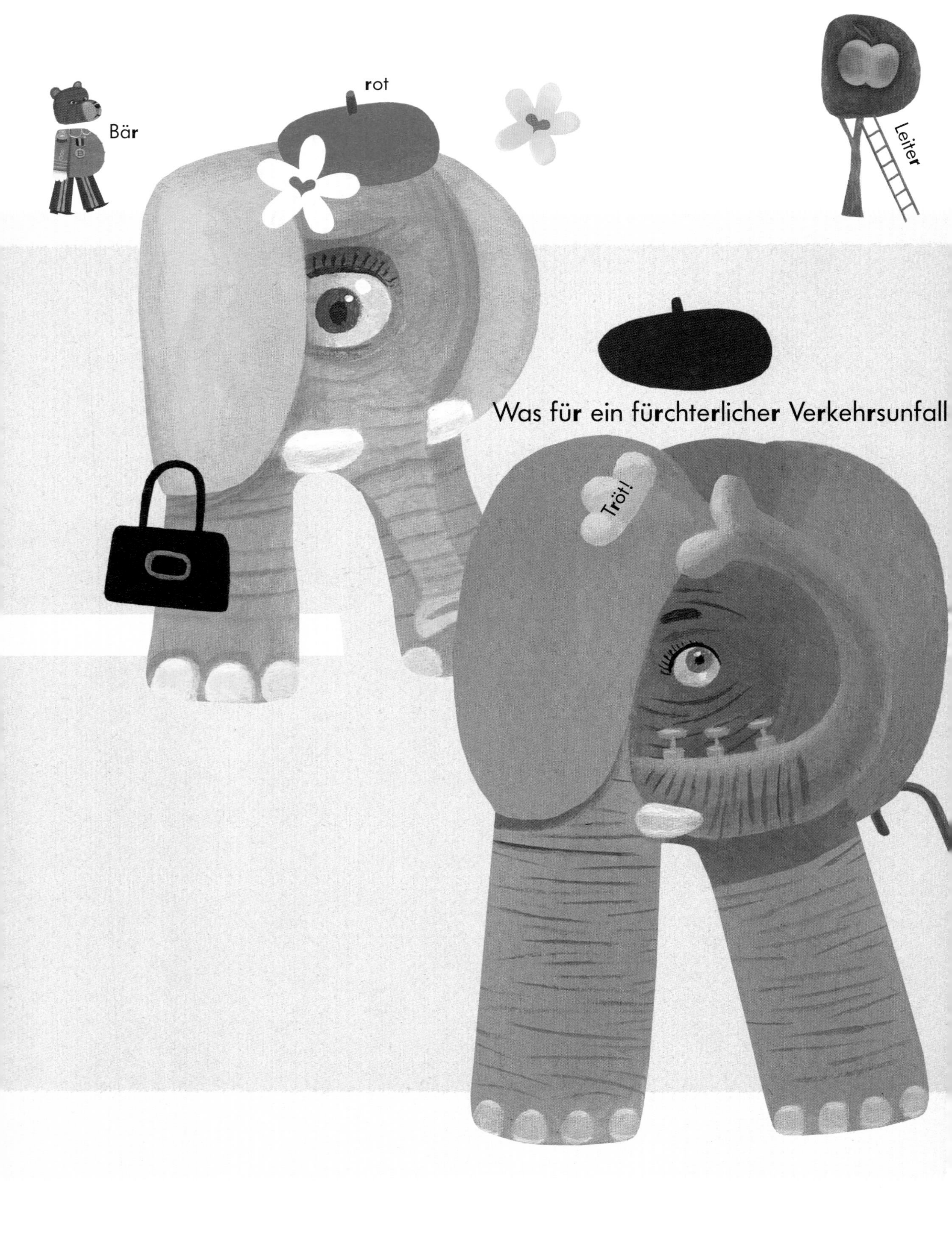

Herr und Frau Trompete überqueren
rasch die Fahrbahn.

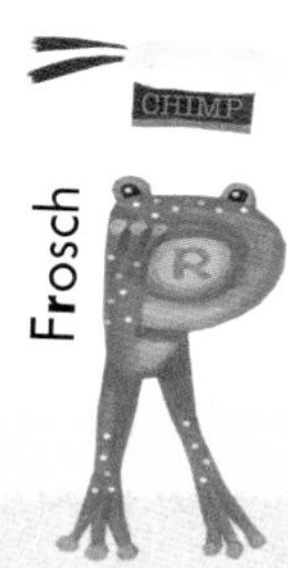

Warum kicherst du, **R**üdiger? Daran ist nichts Drolliges.

Nur nicht so ernst, **R**ainer!

Sabrina i**s**t **s**ehr ge**s**tre**ss**t …

… und **S**ofia i**s**t
in**s**be**s**ondere
superdur**s**tig.

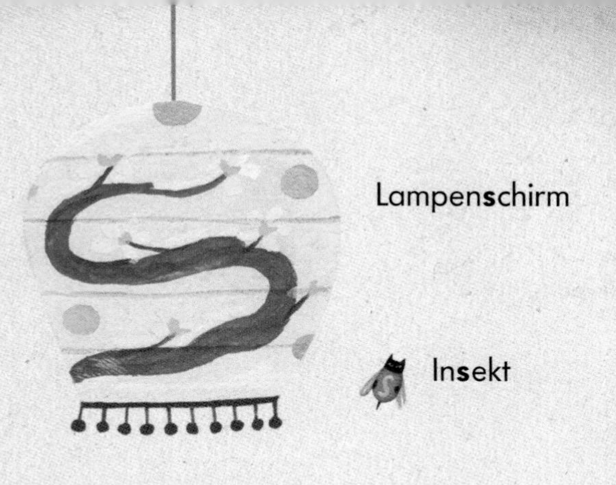

Die**s**e lä**s**tigen Mond**s**üchtigen **s**ind au**s**gezehrt.

Du **s**ervier**s**t ihnen **s**üße Ob**s**t**s**irup-Brau**s**e, …

… bevor **s**ie ohne Baby**s**itter zur Abend**s**au**s**e au**s**gehen.

Total T,
shirt
FOOT
10
Tolle T-Shirts
!ottostop!
UP
Toller Hut
Tasche
Total toll.
Zebrastreifen
Tolle Toasts.
I NY
Total starker Turner!
Teetasse
Toller Tee.
Tauben im Taxi
CAB
T-REX

total toll!
vitamine
TOUR
21
Total spät.
Telefon
Total verrückt
Tischchen
Stempel
TAXI
Total Stau.

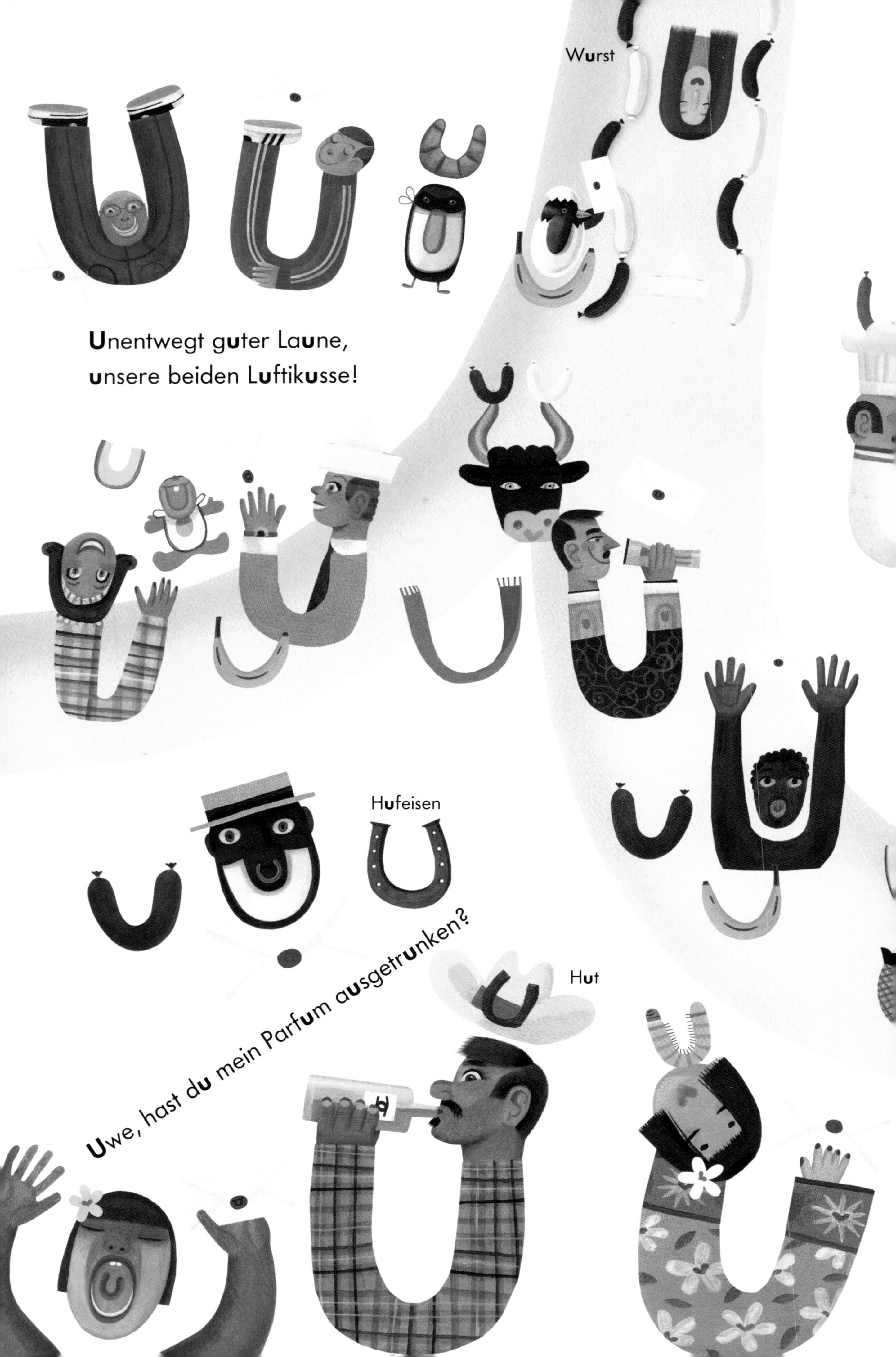
Wurst
Unentwegt guter Laune,
unsere beiden Luftikusse!
Hufeisen
Uwe, hast du mein Parfum ausgetrunken?
Hut

*Zum Geb**u**rtstag*
***u**nseres J**u**nghuhns **U**ta*
*m**u**ten wir **u**ns am ne**u**nten J**u**ni*
*ein Barbec**u**e z**u**.*

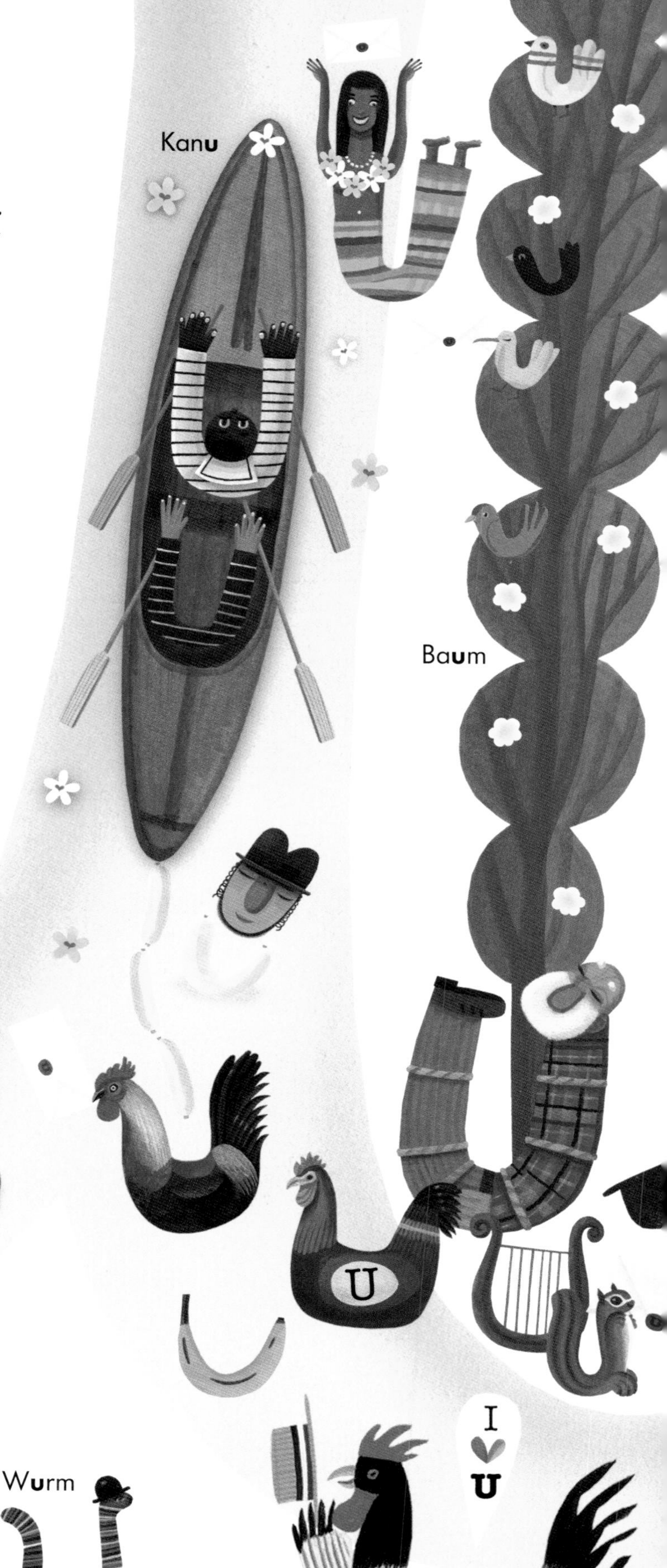

Umsichtig, beh**u**tsam, **U**rs**u**la,
wenn das H**u**hn dir sal**u**tiert!

Verstimmungen sind
voll **V**or**v**ergangenheit:

Veni
Vidi
Vicky
Viva Ventilation!
Vorzügliche Vögel
verbreiten Vergnügen.

Walter, der **W**apitihirsch,

will übers Wochenende nach Wallonien.
Schlafwagen
Liegewagen
fährt weg. Wohin?
WAGONS LITS

Xanaë und ihr E**x** haben zum **x**-

ten Mal in Mexiko geheiratet.

Ein **Y**urumi ist ein Ameisenbär,
kein verzauberter **Y**eti.

Yoko macht lieber **Y**oga.

THINK
Zaubertinte
Zettel im Block

Zum Schluss

Zifferblatt
ohne Zeiger

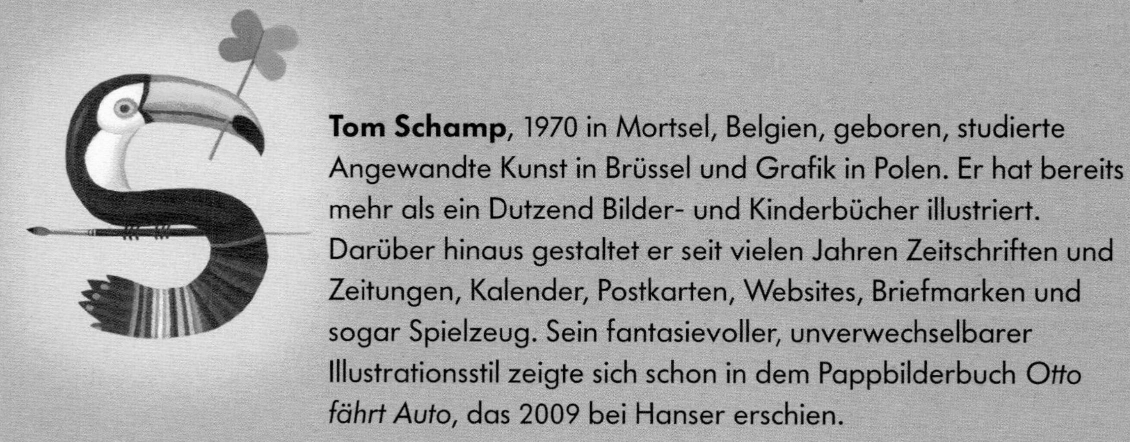

Tom Schamp, 1970 in Mortsel, Belgien, geboren, studierte Angewandte Kunst in Brüssel und Grafik in Polen. Er hat bereits mehr als ein Dutzend Bilder- und Kinderbücher illustriert. Darüber hinaus gestaltet er seit vielen Jahren Zeitschriften und Zeitungen, Kalender, Postkarten, Websites, Briefmarken und sogar Spielzeug. Sein fantasievoller, unverwechselbarer Illustrationsstil zeigte sich schon in dem Pappbilderbuch *Otto fährt Auto*, das 2009 bei Hanser erschien.

»… zum Mitspielen und Mitfahren, zum Gucken, Staunen und Lachen!«

Stiftung Lesen

Ein großartiges Entdecker- und Mitspielbuch für kleine Autofahrer!

Endlich darf Otto mit Papa in die Stadt fahren: Es geht vorbei an Wohnhäusern und Geschäften, Schulen und Tankstellen, über Landstraßen und die Autobahn. Wo fahren die anderen Autos bloß alle hin? Muss Papa an jeder Ampel halten? Dürfen sie den Traktor überholen? Wo bringt der Müllllaster eigentlich den Müll hin und die Feuerwehr das Feuer? Otto hat so viele Fragen und langweilt sich kein bisschen: Guck mal da, ein Krankenwagen, und dort ein Polizeiauto mit Blaulicht! Da drüben ist ja eine Baustelle, und hier wird jemand abgeschleppt! Otto muss richtig aufpassen, dass sie keinen Unfall bauen. Als er wieder zu Hause ist, kann er ganz viel Neues erzählen. Nur wo der Abschleppwagen geblieben ist, weiß er nicht genau. Gleich noch mal losfahren und nachgucken!

»Ein Riesenspaß für Autofans.« *Familie & Co.*

»Weil in den stilvoll modernistischen Illustrationen vieles verlässlich aus dem Rahmen und der Rolle fällt, sorgt dieses Wimmelbuch für witziges und intensives Lesevergnügen.«
1000 und 1 Buch

Tom Schamp
Otto fährt Auto
Aus dem Niederländischen
von Saskia Heintz
16 Seiten. Pappbilderbuch

Die Originalausgabe erschien 2010 unter dem Titel
L'ABC de Tom bei JBz & Cie in Paris, Frankreich.
Text und Illustration: Tom Schamp
Übersetzung: Harry Rowohlt

Unser gesamtes lieferbares Programm und viele andere Informationen
finden Sie unter www.hanser-literaturverlage.de

2 3 4 5   16 15 14 13 12

ISBN 978-3-446-23897-8

Satz im Verlag | Druck und Bindung: TBB, a. s.
Printed in Slovak Republic

ANITA
BOBBY
EVE
FANNY
ISAAC
LARS
OSCAR
SOFIA
WALTER
FSC
www.fsc.org
MIX
Aus verantwortungs-
vollen Quellen
FSC® C022120